LES RELIGIONS DES HOMMES

Conception graphique et couverture : Jaca Book

Adaption française par Thierry Foulc

Photogravure : Mac Raster Multimedia srl, Milan

Imprimé en Italie par G. Canale & C. spa, Arese, Milan, en juin 2001

Rainbow Bridge, le « Pont de l'Arc-en-Ciel », dans Glen Canyon, Utah.
Cette formation rocheuse, produite par l'érosion, est un lieu sacré pour les Navajos, un de ces lieux où le monde se trouve en communication avec les forces supérieures.
Les Navajos viennent y prier pour demander la pluie.

ISBN : 2210772834 (Éditions Magnard)

ISBN : 2204067377 (Éditions du Cerf)

N° d'éditeur : 2001/246

Dépôt légal : juin 2001

LAWRENCE E. SULLIVAN

LA RELIGION DES INDIENS NAVAJO

Dans Monument Valley, deux femmes sur le seuil d'un hogan *recouvert d'argile. Le* hogan *est une construction typique des Navajos, un lieu de cérémonie qui reproduit l'ordre du monde. On en voit la structure au chapitre 4.*

cerf MAGNARD

Femme navajo en train de tisser un tapis. Le métier à tisser est conçu pour être facilement démonté et déplacé. De nombreux mythes se rapportent au tissage et les Navajos lui accordent une grande valeur religieuse. Tisser, c'est lier sa pensée et sa vie à l'harmonie de l'univers, comme les fils s'entrecroisent pour créer l'harmonie du motif qui apparaît dans le tapis.

SOMMAIRE

Spider Rock, le « rocher de l'Araignée », dans le canyon De Chelly, Arizona. Ce roc de grès de 130 mètres de haut occupe une place importante dans l'histoire et dans la mythologie navajo. C'est de son sommet que la Femme Araignée aurait tissé sa première toile, avant d'enseigner le tissage aux femmes. La Femme Araignée aurait expliqué aux tisserandes comment composer des motifs symboliques correspondant aux récits sur la formation des étoiles. La vie des êtres humains doit, en effet, se référer aux étoiles, au soleil et aux éléments de la nature, afin que la pensée et l'action soient conformes à l'ordre du monde.

Introduction

La vie religieuse des Navajos est faite de cérémonies, riches et complexes, dont le but est de ranimer la vie sous toutes ses formes. Qu'elles soient célébrées pour un individu ou pour un groupe, les cérémonies apportent un renouvellement à la communauté entière. Elles accroissent les connaissances sacrées, mettant chacun en contact avec les Êtres Sacrés qui possèdent le savoir et qui ont créé le monde dans lequel vivent les Navajos.

On peut se représenter les cérémonies navajos comme une plante : la cérémonie la plus importante, le *hózhóójí* ou « chemin de la Bénédiction », est comme la tige principale, d'où sortent toutes les autres. Le *hózhóójí* est pratiqué surtout en trois occasions : la naissance, l'entrée des filles pubères parmi les femmes, le renouvellement des remèdes. Il protège contre le mal et éloigne le mauvais sort ; il assure la bonne santé, la prospérité, l'ordre, le bonheur. La cérémonie raconte l'histoire du monde souterrain, et comme c'est là que vivent tous les personnages mythiques que mettent en scène les autres cérémonies, toutes se rattachent à la cérémonie principale. Certains Navajos affirment que, si leur peuple cesse de pratiquer le *hózhóójí*, il cessera aussi d'exister.

Le « chemin de l'Ennemi », *'anaa'jí*, est pratiqué pour neutraliser les dangers causés par le contact avec des non-Navajos, surtout à la guerre. Par exemple, les soldats navajos enrôlés dans l'armée américaine afin de transmettre des messages secrets dans leur langue durant la Deuxième Guerre mondiale furent l'objet de cérémonies *'anaa'jí* lorsqu'ils retournèrent chez eux en pays navajo.

Au 19e siècle, il existait au moins cinquante noms désignant des cérémonies navajos, même s'ils ne recouvraient en fait que vingt-quatre cérémonies distinctes. Aujourd'hui, les Navajos connaissent onze cérémonies, dont certaines, comme le *hózhóójí,* sont célébrées occasionnellement et dont sept seulement sont pratiquées couramment : le « chemin de la Chasse », le « chemin du Silex », le « chemin de la Montagne », le « chemin de la Nuit », le « chemin du Vent navajo », le « chemin du Vent chiricahua » et le « chemin de la Main qui tremble ». Ces cérémonies sont célébrées habituellement selon l'un des trois rites appelés : la « voie Sacrée » (qui rétablit la santé d'un malade en attirant le « bien »), la « voie du Mal » (qui chasse le mal et la douleur) et la « voie de la Vie » (qui traite les blessures accidentelles).

Le chant est un élément essentiel des rituels navajos : il manifeste la voix du vent, la plus puissante des forces cosmiques. Le chanteur possède des connaissances approfondies. Des accessoires sacrés soutiennent son énergie tandis qu'il communique avec les forces supérieures. Le dessin ci-contre montre deux sonnailles, dont les matériaux sont d'origine animale : crin de cheval, peau de chamois, plumes d'aigle, le tout orné de peintures.

1 LES PEINTURES DE SABLE

Cette jeune fille est malade. Sa famille a organisé une cérémonie pour la guérir. Le *hataalii*, le chanteur sacré, a indiqué aux membres de la communauté des gestes, des mouvements, des bruits à faire autour d'elle. Cela lui rend ses forces, la ramène à l'état d'origine de l'humanité. Le chanteur s'est préparé par des prières et a préparé la jeune fille, sa famille et les autres participants en leur dictant les nourritures à prendre et à ne pas prendre, les comportements à observer, les moyens de se purifier. Les premiers jours, la jeune malade est restée couchée. Elle a pris des bains de vapeur, s'est lavée avec des lotions à base de plantes, a pris sa nourriture dans de la vaisselle réservée aux cérémonies. Tout cela a commencé à faire venir, en elle et dans la communauté, un pouvoir de guérison. La communauté a participé en priant, en chantant, en dansant, en agitant des sonnailles ou en jouant du tambour, et en s'habillant de vêtements dont la décoration évoque les êtres surnaturels

Capter la puissance

C'est aujourd'hui le dernier jour. Autour du *hogan*, la maison réservée à la cérémonie, le chanteur a disposé des objets remplis de puissance, tels que bijoux, cristaux, plumes, et tiges de roseau remplies de tabac et de pollen humide. Ces objets extraordinaires captent les pouvoirs de guérison. Le chant du *hataalii* leur insuffle la vie, rappelant comment ils ont acquis leur puissance et comment ils sont arrivés entre les mains des hommes. Quand tout est prêt, le chanteur et ses aides réalisent une peinture de sable. Entre leurs doigts – l'index et le majeur – ils laissent couler de minuscules grains de sable coloré, d'ocre, de charbon de bois. D'autres peintures de sable ont été exécutées les nuits précédentes, mais aucune ne possède autant de pouvoir que celle de ce dernier soir.

La porte de l'autre monde

Ce que nous appelons peinture de sable se dit en fait *'iikááh*, en langue navajo : « entrer et partir ». Une peinture de sable ouvre la porte de l'autre monde, d'où viennent la Terre, le Soleil, la Lune, les Montagnes et les Êtres Sacrés. Ce sont les puissances créatrices ; elles entrent à nouveau dans notre monde par l'image de sable. Dès que celle-ci est achevée, les objets puissants sont apportés à l'intérieur du *hogan* et mis en place autour de l'image. C'est l'instant décisif, un moment d'espoir mais aussi de grand danger, car les êtres des origines sont là, d'une terrible présence. L'effet est rapide. La jeune fille est conduite le long d'un chemin de pollen et assise au centre de la peinture de sable, le visage tourné vers l'est. Elle est l'objet de tous les chants, de toutes les prières. On l'asperge, de façon que son corps et son esprit s'imprègnent des forces revitalisantes des dessins sacrés. Alors, les figures de sable ôtent d'elle les *nayéé'*, les forces de la maladie, et les absorbent dans le sable. La jeune fille se lève et sort pour respirer l'air dans les quatre directions de l'espace. Le sable coloré est balayé, poussé dehors et dispersé à tous les vents. À l'extérieur, le chant et la danse continuent jusqu'à la prière finale, avant l'aube. La jeune fille rentre dans le *hogan* et y passe encore quatre nuits, isolée, en portant une attention particulière à ce qu'elle dit, à ce qu'elle fait, à ce qu'elle mange.

Une jeune fille assise au centre d'une peinture de sable : un rite de guérison.

2

LE BERCEAU DE LA CONNAISSANCE NAVAJO

L'école, dans un village navajo.
À côté de l'institutrice, un vieux chanteur sacré explique aux jeunes l'origine des traditions de leur peuple. Les Navajos ont toujours montré une grande capacité à intégrer les diverses influences culturelles, qu'il s'agisse des autres peuples amérindiens avec lesquels ils ont été en contact ou, comme ici, du monde moderne. Ils ont ainsi développé leur propre culture avec une grande force créative.

Le vieil *hataalii* qui a guéri la jeune fille se rend à l'école du village pour expliquer aux élèves l'histoire religieuse des Navajos. Il apporte avec lui un porte-bébé traditionnel, utilisé par les mères navajos pour porter leur enfant sur leur dos quand elles marchent. Il montre aux élèves les différents éléments de l'objet et leur explique que chacun est nécessaire pour soutenir l'enfant durant sa croissance. Une planche large représente la formation reçue à la maison ; une autre, allongée, symbolise l'instruction traditionnelle, reçue lors des cérémonies sacrées auxquelles on participe au cours de sa vie. Il y a aussi des courroies qui se nouent et qui montrent comment d'autres sortes de connaissances ont été intégrées, au fil des générations, à la conception du monde qu'ont les Navajos. Ces influences sont dues aux contacts avec les étrangers, au cours de l'histoire. Les Navajos, remarque-t-il, ont toujours été avides d'apprendre ce qui pourrait leur être avantageux et améliorer leur sort, d'où que cela vienne.

Des influences diverses

Le *hataalii* montre les lanières qui tiennent ensemble les planches du berceau et explique que le catholicisme des Espagnols et le protestantisme des Anglo-Américains ont marqué la sensibilité religieuse des Navajos. Au cours de la dernière génération, ajoute-t-il, certains Navajos ont adhéré à la Native American Church (l'Église des Américains autochtones), dont les offices consistent notamment absorber la plante sacrée, le peyotl, et ils ont adapté ses pratiques à leur culte traditionnel.

L'enseignement des êtres surnaturels

Le vieux chanteur parle calmement de toutes ces réalités. Mais, ajoute-t-il, une autre forme de connaissance religieuse a toujours été importante pour les Navajos. Il montre la courroie qui assujettit le porte-bébé à la tête de la mère : « Cette courroie représente la connaissance transcendante. Les Navajos peuvent être instruits directement par les êtres surnaturels qui habitent le ciel, la terre (par exemple, les quatre montagnes sacrées du territoire navajo), les grands éléments de l'univers comme le Soleil, la Lune, le Vent et les étoiles, ou encore qui se manifestent dans les visions et les rêves. Toutes ces formes de connaissance religieuse, aussi différentes soient-elles, nourrissent le Navajo dès l'enfance et façonnent son expérience du monde. »

L'HISTOIRE DES NAVAJOS

Les ancêtres des Navajos sont venus d'Asie sur le continent américain et se sont installés dans l'ouest du Canada, où vivent toujours d'autres peuples parlant la langue athabaska. C'étaient des chasseurs nomades. Vers le 10e-11e siècle, ils gagnèrent le sud-ouest des États-Unis et en 1525, selon les archéologues, ils vivaient déjà sur leurs terres actuelles, la région des Four Corners, sur le plateau du Colorado, aujourd'hui dans les États de l'Arizona, de l'Utah, du Colorado et du Nouveau-Mexique. De leurs voisins, les Apaches et les Pueblos, ils apprirent l'élevage et l'agriculture, certaines cérémonies religieuses et l'art des peintures sacrées. Ils empruntèrent également des connaissances à d'autres voisins, les Ute, les Paiute et les Havasupai. Au contact des colons espagnols ou anglais, ils rencontrèrent les idées et les pratiques chrétiennes, ainsi que d'autres éléments de la civilisation européenne, comme le cheval, qui transforma leur mode de vie. À la fin du 18e et au début du 19e siècle, les Navajos étaient un peuple florissant, vivant de l'élevage des moutons et des chèvres, du tissage, appris auprès des Pueblos, et du commerce avec les Européens et les Mexicains.

Le choc avec les Européens

Mais les Européens apportèrent aussi de graves souffrances. Quand les États-Unis prirent le contrôle des territoires du sud-ouest en 1846, des conflits s'élevèrent entre les Navajos d'une part, les colons et les militaires d'autre part. En 1863, les habitations et les récoltes des Navajos furent systématiquement détruites par le colonel Kit Carson et ses troupes, sur ordre du gouvernement américain. Désespérés, les Navajos furent contraints à quitter la terre que les dieux avaient créée pour eux et, après une Longue Marche épouvantable, furent conduits à près de 500 kilomètres de là, au Nouveau-Mexique. Ils furent enfermés dans un camp. Ils y connurent la faim et la maladie jusqu'en 1868, où ils furent libérés sur décision du Congrès américain. Cette épreuve eut des conséquences sur leur religion. Ils créèrent de nouvelles cérémonies avec des prières pour être délivrés. Aujourd'hui encore, leur pensée religieuse est obsédée par les forces de vie, qu'il faut renouveler sans cesse pour compenser la mort des individus et empêcher l'extinction de leur peuple.

Une religion pour survivre

Lorsque, après leur libération, les Navajos retournèrent sur leurs terres, ils n'étaient plus que 5000 à 7000 personnes. Leur territoire avait été réduit à 64000 kilomètres carrés par le gouvernement. Ce fut une période de grandes difficultés, jusqu'à ce que le commerce des animaux d'élevage, le tissage et le travail du métal – l'argent – appris auprès des Mexicains, permettent à certains groupes de sortir de la misère. Mais ces espoirs furent réduits à néant en 1930, quand la grande Dépression frappa l'économie américaine tout entière et que le gouvernement ordonna de diminuer les troupeaux au pâturage. Élever des moutons et des chèvres ne rapportait plus rien. On comprend pourquoi la reproduction des êtres vivants, la croissance et la prospérité sont restées une obsession pour la religion navajo.

Aujourd'hui, les Navajos sont plus de 200000. Leur terre sacrée est menacée par des dépôts radioactifs à ciel ouvert et par les exploitations minières. Dans les réserves ou aux alentours, il est difficile de trouver du travail. Ceux qui en ont sont employés dans les services publics – santé, enseignement, administration. D'autres ont dû émigrer jusqu'à Los Angeles ou Kansas City.

3

"DINÉ BIKÉYAH" LA TERRE NAVAJO

Pour les Navajos, la terre entière est vivante. Elle forme le lien entre les mortels et les forces naturelles mises en œuvre par d'immortelles « formes intérieures ».

1. *Carte de la terre des Navajos, appelée « Diné Bikéyah ». À chacune des quatre montagnes sacrées s'attache une couleur symbolique : blanc (pic Blanca, à l'est), bleu (mont Taylor, au sud), jaune (pics San Francisco, à l'ouest) et noir (pic Hesperus, au nord). La zone grisée au centre indique l'actuelle réserve des Navajos. Au milieu, en clair : la réserve des Hopi.*

2. *Monument Valley. Un des sites les plus célèbres de la réserve navajo.*

3. *Le canyon De Chelly. Une région plus cultivable. Pour les Navajos, il y a un lien entre l'agriculture et les constellations ; l'amour de la terre se double d'un intérêt passionné pour les phénomènes célestes, symboles d'harmonie.*

2

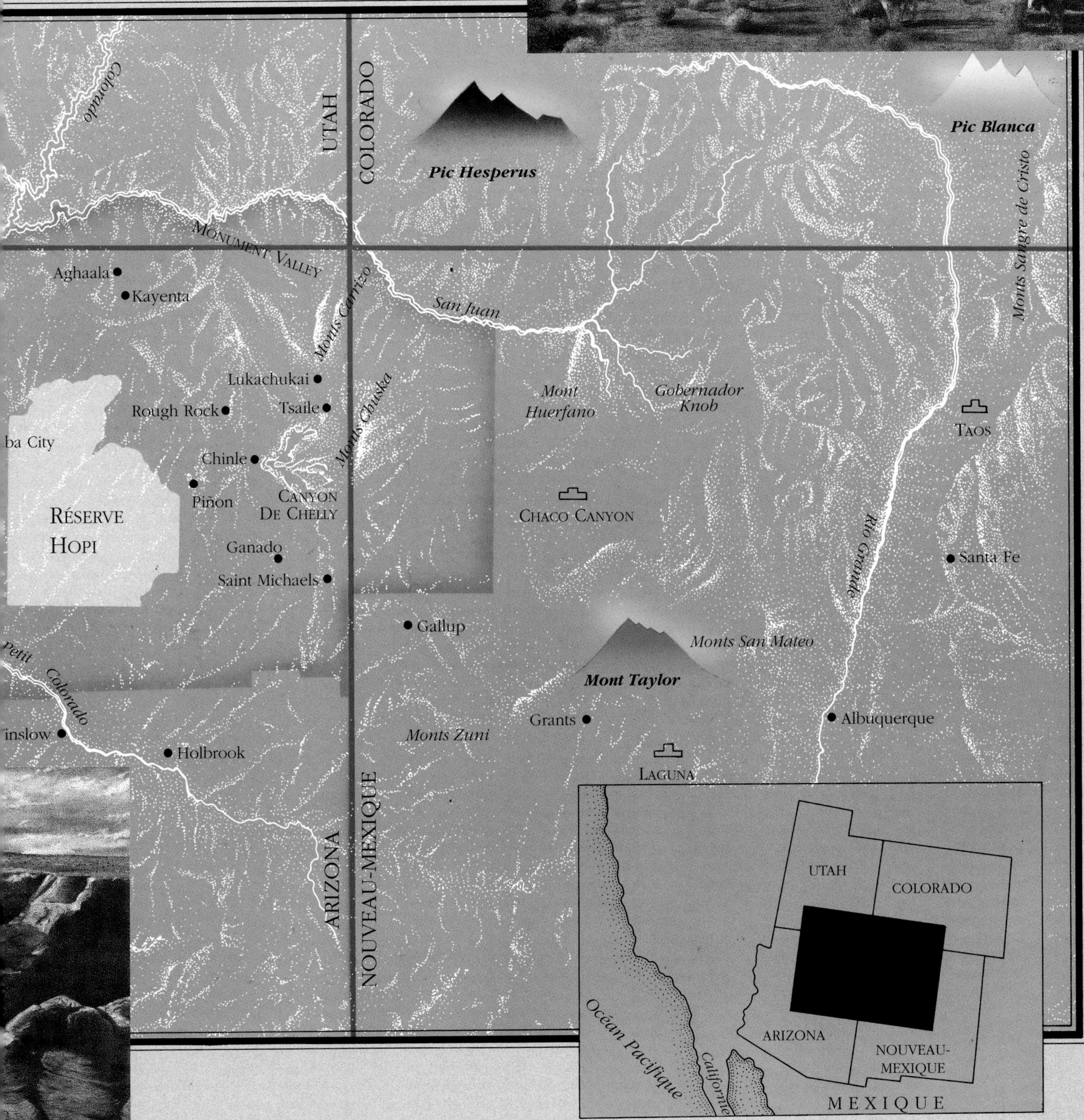

Colorado
UTAH
COLORADO
Pic Hesperus
Pic Blanca
Monts Sangre de Cristo
Monument Valley
Aghaala
Kayenta
Monts Carrizo
San Juan
Lukachukai
Rough Rock
Tsaile
Monts Chuska
Mont Huerfano
Gobernador Knob
Taos
ba City
Chinle
Piñon
Canyon De Chelly
Réserve Hopi
Chaco Canyon
Rio Grande
Ganado
Saint Michaels
Santa Fe
Gallup
Monts San Mateo
Mont Taylor
Petit Colorado
Grants
Albuquerque
Monts Zuni
inslow
Holbrook
Laguna
ARIZONA
NOUVEAU-MEXIQUE
UTAH
COLORADO
ARIZONA
NOUVEAU-MEXIQUE
Océan Pacifique
Californie
MEXIQUE

4
L'ESPACE SACRÉ

Lorsque les Navajos veulent retrouver la santé, recommencer leur existence, vivre pleinement leur vie, ils retournent sur leur terre ancestrale, cette terre sacrée que leur ont donnée les Êtres qui ont créé le monde. Dans ce monde, l'espace s'organise d'une façon symbolique, riche de sens et de puissance. Une maison de cérémonie comme celle où a été soignée la jeune fille du chapitre 1 et qui porte le nom de *hogan*, « lieu de la maison », reproduit en petit l'espace sacré tel que les dieux l'ont organisé. Les quatre pieux fourchus qui marquent les points cardinaux dans le *hogan* représentent les quatre montagnes sacrées sur lesquelles la voûte des cieux repose comme le toit sur la maison. Les montagnes sacrées ont été créées à partir de la terre des mondes souterrains préexistants, transportée dans la trousse de remèdes du Premier Homme. Ces mottes de terre ont été mélangées à des minéraux précieux et à des lumières de diverses couleurs : coquille blanche à l'est, turquoise (bleue) au sud, haliotide (jaune) à l'ouest et jais (noir) au nord. Le mélange

N
Pic Hesperus (obscurité)
espace nord
O
Pics San Francisco (soir)
espace ouest
foyer
espace est
entrée
espace sud
Mont Taylor (midi)
S

1. *L'organisation de l'espace dans le* hogan *et les correspondances symboliques avec les quatre montagnes. Les directions de l'espace ne servent pas seulement à s'orienter ; ce sont des forces vives qui organisent la connaissance, qui interpellent les hommes et auxquelles ceux-ci s'adressent lorsqu'ils prient.*

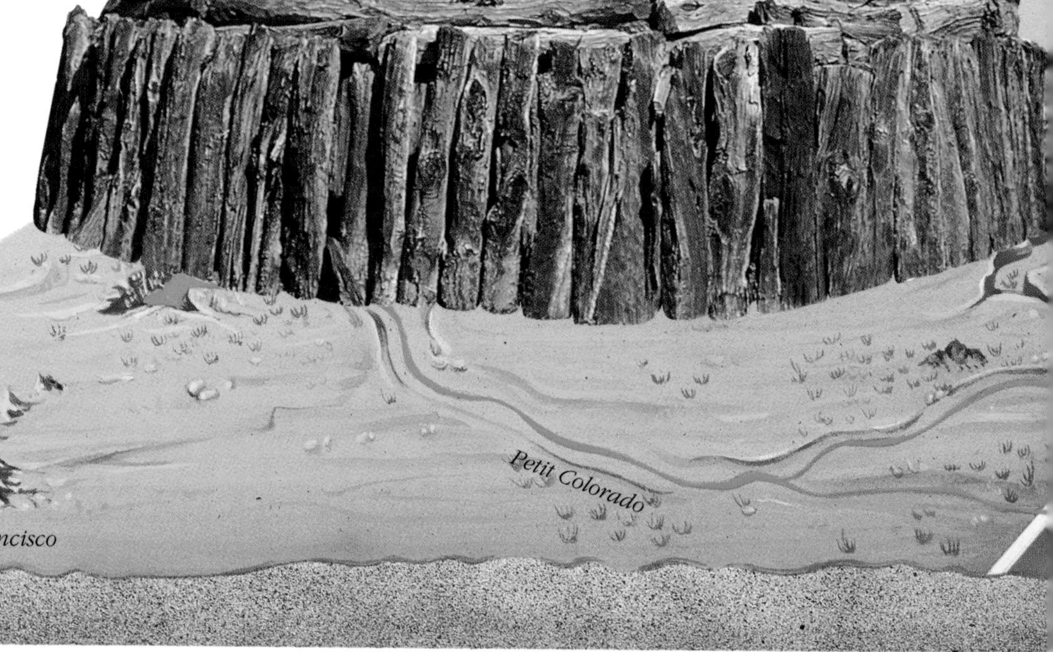

2. *Un* hogan *aujourd'hui abandonné, grâce à quoi on voit les détails de la construction. De plan circulaire, couvert d'un toit en coupole, il est bâti en madriers de pin, autrefois recouverts d'argile. Sa forme est chargée, pour les Navajos, d'évocations symboliques qui restent très fortes aujourd'hui encore. Au Navajo Community College, les orientations traditionnelles du* hogan *ont été utilisées pour disposer, sur le campus, les bâtiments consacrés aux différentes activités des étudiants.*

de la terre (féminine) avec les pierres colorées (conçues comme la rosée, ou la semence, du ciel masculin) symbolise la reproduction sexuée. Les quatre mélanges ainsi obtenus ont ensuite été placés dans les quatre régions du monde navajo.

Les quatre montagnes

Les quatre montagnes constituent chacune une sorte de *hogan*, renfermant une force vitale qui respire et qui parle. Elles sont la demeure des vents porteurs de fécondité, des couleurs, des êtres divins, des âges de la vie, des heures du jour, des émotions. C'est là qu'on va chercher la terre et les autres matériaux utilisés dans les cérémonies. Lorsqu'on marche dans le *hogan* ou lorsqu'on nomme les quatre montagnes, par exemple dans les prières, on suit toujours le sens du soleil, est, sud, ouest, nord (le sens des aiguilles d'une montre). À l'est se trouve le pic Blanca, demeure de l'aube et du dieu Parleur. La porte du *hogan* s'ouvre également vers l'est, dans la direction où le monde apparaît chaque jour au lever du soleil. Au sud est le mont Taylor, demeure du ciel bleu du milieu du jour. Une divinité féminine y habite, dont le nom sera révélé dans l'avenir. À l'ouest, les pics San Francisco sont la demeure du couchant, jaune doré, et du dieu Appeleur. Le dieu Parleur, sur la montagne de l'est, et le dieu Appeleur, sur celle de l'ouest, ont un rôle dominant : c'est par leur intermédiaire qu'on connaît les choses ; ce qu'ils pensent et ce qu'ils disent se produit ; ils guident les humains et informent le ciel de ce qui se passe sur terre. Au nord se trouve le pic Hesperus : là règne l'obscurité et là se trouve à nouveau une divinité dont le nom doit être révélé dans l'avenir. Chaque divinité, chaque montagne peut avoir un partenaire du sexe opposé (ou possède en elle-même un couple de forces mâle et femelle).

Le retour vers le centre

Le monde et le *hogan* s'organisent de façon similaire parce qu'ils ont été construits l'un et l'autre par les Êtres Sacrés lorsque, venant des mondes souterrains, ils ont émergé à la surface de la terre. En fait, le *hogan* qu'ils ont construit sur le pourtour du trou d'où ils sont sortis est le monde même. À l'intérieur de ce premier *hogan*, sous le toit, les bâtisseurs divins ont accroché les constellations qu'on voit aujourd'hui dans le ciel. Le foyer central du *hogan* correspond à l'étoile Polaire autour de laquelle tournent les autres étoiles. Le *hogan* est un être vivant. Il exhale son souffle par le trou de cheminée où passent les prières en montant vers le ciel.

L'espace du monde et du premier *hogan* a été organisé par le Premier Homme, la Première Femme et les Êtres Sacrés pour y célébrer la première cérémonie *hózhóójí*, le « chemin de la Bénédiction » (voir Introduction). C'est pourquoi il recèle tant de puissance : il représente les premières idées des Êtres Sacrés et les premiers rituels célébrés en ce monde. La création a été une sorte de cérémonie qui a apporté ordre, clarté et connaissance : les Êtres Sacrés ont mis les choses à leur place, les ont animées par leur chant et leurs gestes rituels, et, du même souffle, ont instruit les futurs humains de leur signification.

L'organisation symbolique de l'espace est indispensable aux cérémonies, donc au maintien de la vie et à la connaissance. L'espace sacré permet aux Navajos de répartir les choses et donc de penser l'ensemble de la réalité. Par leur pensée ils soutiennent l'ordre de la création. C'est pourquoi, lorsqu'ils sont malades, exilés, enrôlés dans des guerres étrangères, ou chaque fois qu'il leur faut renforcer leur vitalité et leur sagesse, les Navajos retournent se placer au centre de leur espace sacré.

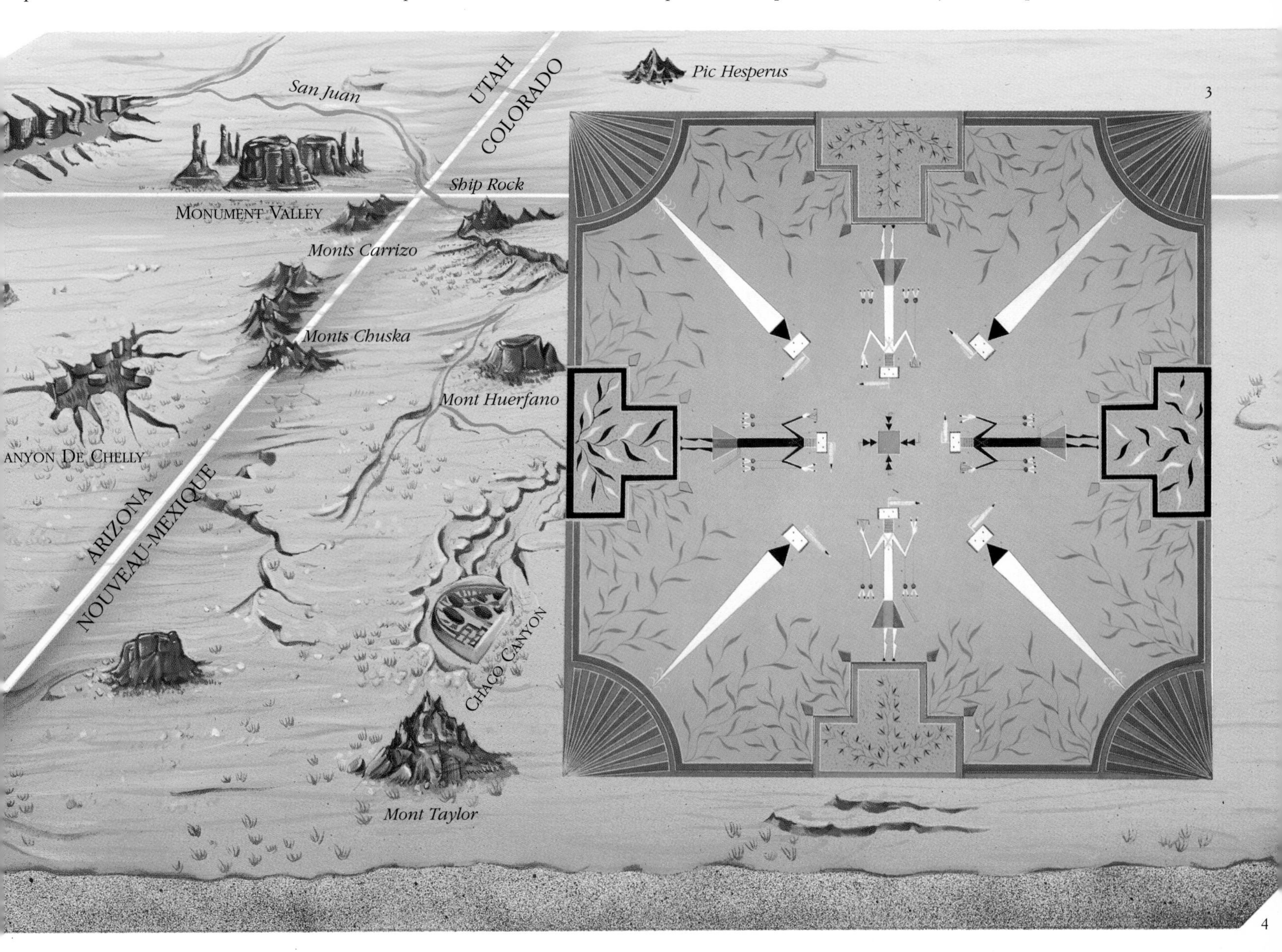

3, 4. Sur un fond montrant les principaux sites du territoire navajo, on a placé une image reproduisant une peinture de sable utilisée dans la cérémonie du « chemin de la Montagne ». Les paroles chantées au cours du rite expriment une intense participation à la nature et témoignagent de la profonde expérience que les Navajos ont de leur terre. Dans l'image représenant la peinture de sable, les quatre « éventails » aux angles symbolisent l'arc-en-ciel. Les formes blanches qui en sortent représentent les esprits des montagnes. Ceux-ci entourent les autres personnages, dans un décor de végétation luxuriante.

5
LES CINQ MONDES ET LE TEMPS SACRÉ

1

1. Paysage du Navajo Tribal Park, dans Monument Valley, Arizona. L'arc-en-ciel réunit toutes les couleurs. Il caractérise le monde multicolore où nous vivons, par opposition aux mondes précédents qui étaient d'une seule couleur. Grâce aux couleurs, le monde possède cette beauté lumineuse qui, pour les Navajos, est l'expression du sacré.

Pour les Navajos, le temps est « profond », car l'histoire du monde et de son peuplement s'enracine dans la terre et dans une série de mondes souterrains. Les Êtres Sacrés, les *diyin dine'é*, ont vécu dans ces mondes. À la surface, le monde où les Navajos vivent aujourd'hui est le cinquième. Les quatre mondes souterrains, où la vie et la mort se déroulaient autrefois, sont empilés les uns sur les autres et s'enfoncent aussi loin qu'on peut imaginer la profondeur du temps. Les Navajos se représentent ces mondes comme des récipients, des sortes de paniers ou de bols de cristal coloré. La principale cérémonie, le *hózhóójí* ou « chemin de la Bénédiction » (voir Introduction), est comme une tige sortie du plus profond des anciens mondes. C'est ainsi qu'on sait ce qu'était la vie dans les mondes précédents : cette connaissance est transmise par les cérémonies, notamment le *hózhóójí*.

Les couleurs du monde

Chacun des mondes anciens est d'une couleur primaire. Tout au fond se trouve le monde noir. Ensuite viennent le monde rouge, le bleu, le jaune, puis notre monde multicolore. Le premier monde, le noir, s'appelle *Nihodilgil* ; mystérieusement, il contient aussi les autres mondes. *Nihodilgil* est un lieu obscur et incertain, fait de couches d'obscurité superposées. L'obscurité de *Nihodilgil* représente l'obscurité créatrice à l'œuvre dans la trousse de remèdes du Premier Homme. Celle-ci est la source de tout ce qui s'est produit sous la terre, sur la terre ou au-dessus, à tous les moments de création. Les couches d'obscurité de *Nihodilgil*, étendues l'une sur l'autre, se sont accouplées pour produire quelque chose de nouveau.

Chacun des mondes anciens a été détruit, par inondation, feu ou chaos. À chaque fois, les Êtres Sacrés se sont réfugiés à la hâte dans le monde suivant où le Premier Homme changeait les sons, la terre et les brumes informes des mondes précédents en des réalités de plus en plus claires et colorées.

Les cycles du temps

Ces mondes successifs ont servi à marquer le temps. Ils représentent les âges de la création. En outre, les quatre couleurs qui caractérisent les directions de l'espace (blanc à l'est, bleu au sud, jaune à l'ouest, noir au nord) indiquent les moments de la journée (l'aube, le milieu du jour, le crépuscule, la nuit) et les âges de la vie (la naissance, l'âge adulte, la vieillesse, la mort).

Ces cycles temporels correspondent aussi aux schémas des couleurs, des directions, des émotions, des dimensions. En outre, ils se combinent avec d'autres phénomènes marquant le passage du temps, comme le soleil, la lune, les saisons et les étoiles, pour produire un monde d'ordre et de précision.

Réglés par l'alternance du jour et de la nuit, de l'été et de l'hiver, par les moments pluvieux et humides, par l'ordre des naissances et des générations, par les plantes et les animaux, les divers cycles se succèdent dans le calendrier des cérémonies.

2. Les récits sur l'origine des choses expriment une recherche spirituelle. On a représenté ici les mondes souterrains qui, selon les mythes navajos, constituaient l'univers avant que la terre ne soit habitable. Ces récits mythiques affirment, d'une part, que les êtres vivants, insectes, animaux ou premiers hommes, sont sans cesse attirés vers le haut, tournant le dos au mal ; d'autre part, que, dans cette progression, chaque monde est plus harmonieux que le précédent : peu à peu, les êtres prennent forme et deviennent humains ; la vie se pare de couleurs et triomphe de l'obscurité.

3. Les êtres qui émergent à la surface de la terre après avoir traversé les mondes souterrains doivent affronter de nouveaux dangers. Mais la terre se couvre de plantes, nourriture et remèdes pour les hommes.

6

LE PROCESSUS DE LA CRÉATION

Les récits que font les Navajos de la Création décrivent le voyage des premiers êtres, les *diyin dine'é*, ou Êtres Sacrés, à travers les mondes souterrains jusqu'à leur sortie à la surface de la terre. Au début, dans le premier des mondes souterrains, il n'y avait ni mouvement, ni lumière, ni sons. Les Êtres de la Brume, sans forme, soupiraient dans l'obscurité, errant invisiblement, sans but ni direction. À l'est, sous une couche d'obscurité qui leur servait de couverture, la Brume Noire et la Brume Blanche s'unirent pour donner naissance au Premier Homme et au maïs blanc. De même, sous l'obscurité de l'ouest, la Brume Bleue et la Brume Jaune s'unirent pour donner naissance à la Première Femme et au maïs jaune.

Le voyage dans le temps

Quatre océans de ténèbres baignaient les bords du monde. Des groupes de vents invisibles se mirent à se battre, deux à deux. Les chefs des océans, irrités de ce désordre, soulevèrent les eaux et inondèrent le monde. Pris de panique, les vents s'enfuirent. Ils passèrent par un trou et se retrouvèrent dans le monde juste au-dessus.

Guidés par des voix et des vents, le Premier Homme et la Première Femme entreprirent le voyage dans le temps, passant par le monde rouge, le monde bleu et le monde jaune. Dans chacun des mondes, ils rencontraient de nouvelles choses précieuses et de nouveaux dangers. À mesure qu'ils progressaient, les soupirs confus se transformaient en en mots précis, en noms, en chants. Les êtres se multipliaient; leurs formes et leurs couleurs devenaient plus distinctes. Le Premier Homme, la Première Femme et leurs compagnons vécurent successivement dans chacun des mondes, jusqu'à ce qu'une catastrophe le détruise et les chasse vers le monde supérieur. Comme des insectes, ils escaladèrent une plante grimpante. Ils se faufilèrent dans d'étroits tunnels creusés pour eux par les vents. Dans leurs paniers et dans leurs trousses, les *diyin dine'é* emportaient de la matière de chacun des mondes qu'ils laissaient derrière eux.

Un monde qui s'anime

Tout au long de cette ascension, le Premier Homme répéta l'opération dont il était né : il couvrit la matière trouvée dans ces mondes avec des morceaux de toile, des couvertures ou des peaux colorées. Tantôt il l'aspergea de liquide ou de rosée ; tantôt il l'accoupla avec une autre matière. Sous l'obscurité des couvertures, la matière cachée donna naissance à de nouvelles matières, ou bien elle se transforma et se mit à vivre par l'effet du vent, du souffle et du chant. Assisté par les Êtres Sacrés, le Premier Homme libéra de leurs enveloppes les êtres ainsi animés. Il plaça ces éblouissantes créations à leur juste place. C'est pourquoi les Navajos appellent ces créations *niilyáii*, « les choses qui ont été mises en place » (c'est-à-dire créées) par les Êtres Sacrés.

De la même façon, dès que les Êtres Sacrés émergèrent à la surface de la terre, le Premier Homme défit l'emballage de sa trousse de remèdes et montra aux autres *diyin dine'é* les choses rapportées des mondes précédents. Il les avait enveloppées dans plusieurs épaisseurs de toile, désormais associées aux couleurs de la lumière selon les points cardinaux (blanc à l'est, turquoise au sud, jaune à l'ouest, noir au nord). En mettant ces choses à

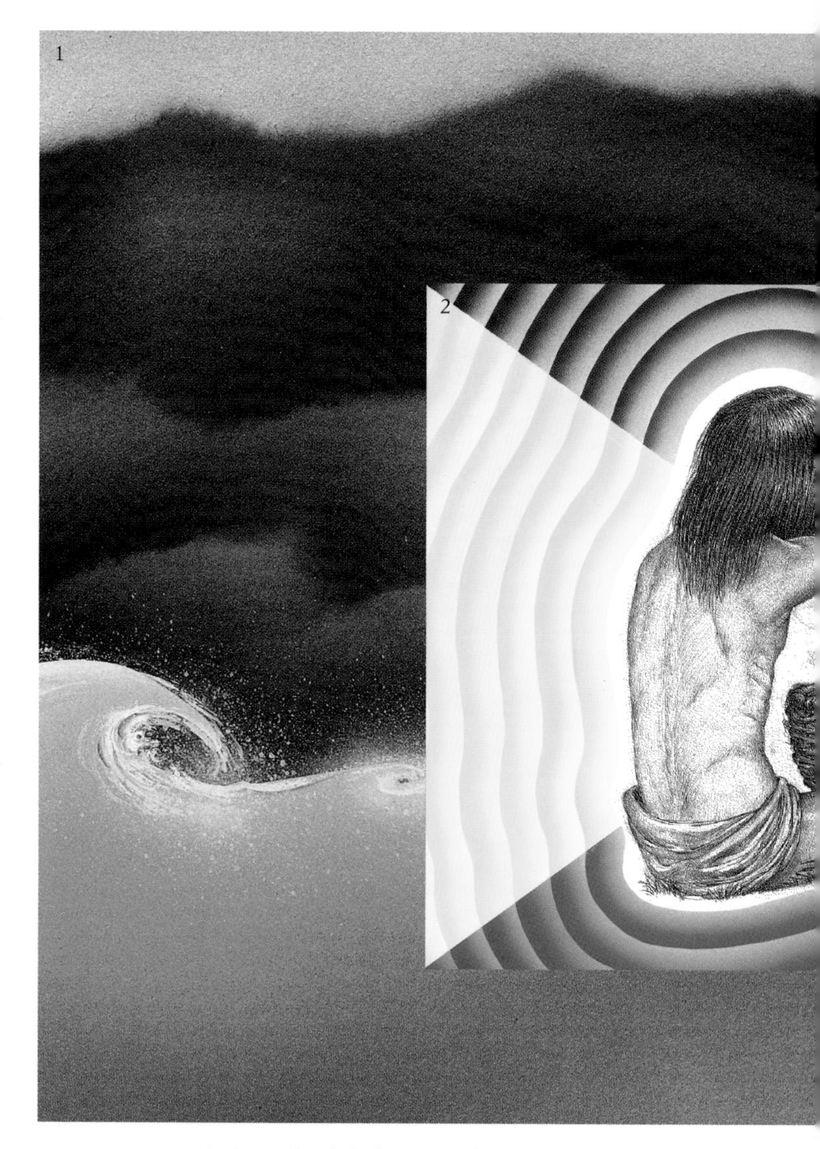

1. 2. *En fond, la brume et les eaux primordiales. Au centre, le Premier Homme transforme les brumes amorphes venues des ténèbres en lumière de couleur changeante, selon les quatre directions de l'espace : blanche à l'est, bleue au sud, jaune à l'ouest, noire au nord. Les teintes diverses de la lumière rythment le passage du temps au cours de la journée et au fil des saisons.*

3. *Des plantes fleurissent dans des régions désertiques, comme il y en a beaucoup en pays navajo : l'éclosion de la vie sur terre est l'œuvre d'êtres remplis de beauté et de puissance.*

4. *Instruments agricoles anciens, trouvés dans la région de Chaco Canyon, au Nouveau-Mexique. Les Navajos, arrivés du nord, adoptèrent les techniques agricoles locales. On voit ici des bâtons à planter le maïs et, 2e à partir du haut, le manche d'une pioche en pierre. La terre, dans les récits navajos sur les origines du monde, offre ses fruits aux hommes qui la cultivent.*

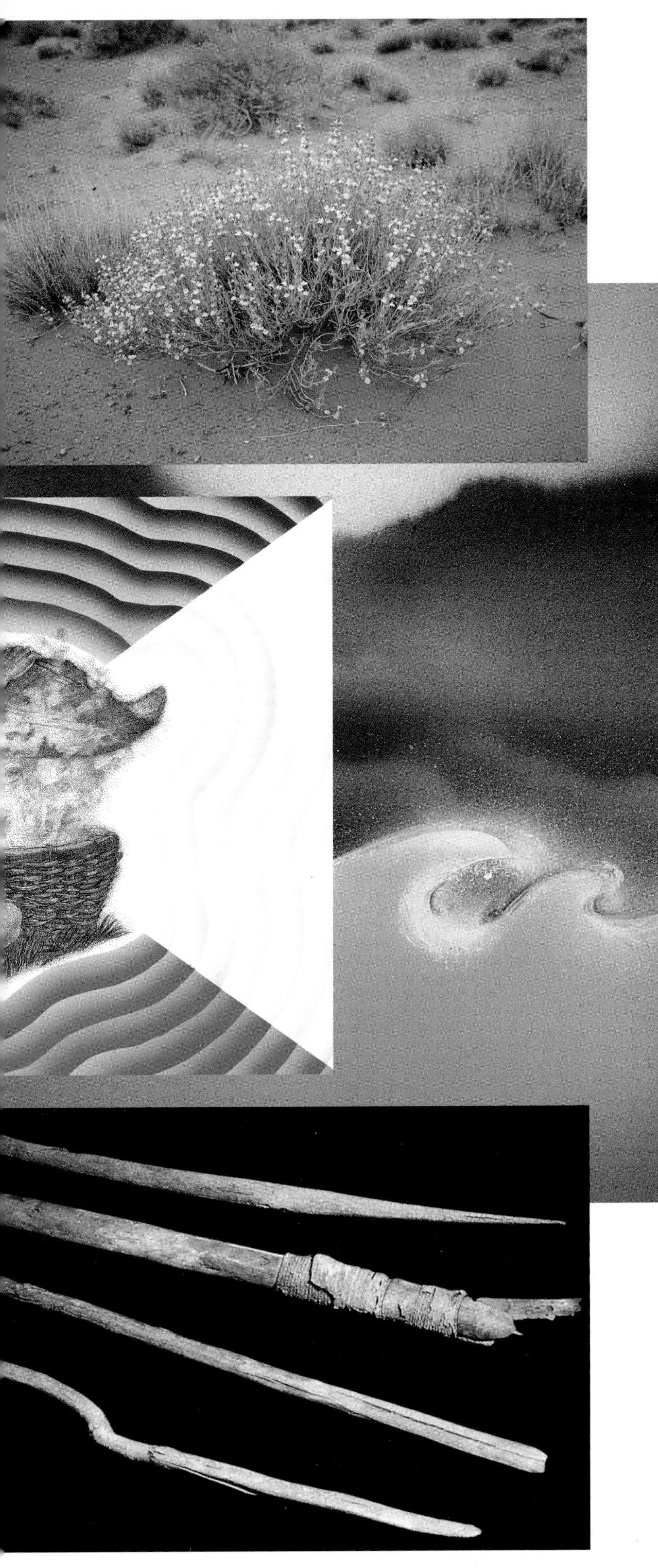

leur place, il modifia leur forme, prouvant la puissance de la cérémonie du *hózhóójí* qu'il était en train d'accomplir. Ainsi fut créé ce qui se trouve à la surface du monde.

La première cérémonie

À la première assemblée des Êtres Sacrés dans le monde nouveau, le Premier Homme jouait le rôle de l'hôte et du chanteur sacré. Sous sa direction, les *diyin dine'é* placèrent des matériaux dans un panier, qui fonctionna comme une sorte de *hogan*. Le panier fut complètement recouvert de toiles faites des « formes intérieures » des couleurs des points cardinaux (deux paires de couleurs l'une sur l'autre, avec le panier entre les deux). Tandis que les *diyin dine'é* chantaient les chants du *hózhóójí* (le « chemin de la Bénédiction »), les matières contenues dans le panier changèrent de forme et se mirent à vivre sous l'effet du souffle qui entrait en elles avec le chant. Ainsi le Premier Homme et les Êtres Sacrés créèrent la terre, le ciel, le soleil, la lune et divers animaux. Les Navajos répètent le *hózhóójí* pour continuer le processus de création.

Vers la fin de sa mission, le Premier Homme réalisa sa plus belle création : un jeune couple d'une délicieuse beauté nommé *Sa'a naghái ashkii* et *Bik'e hózhó at'ééd*. Ce sont eux qui animèrent le ciel et la terre, c'est-à-dire le monde entier. Ils sont les derniers sortis de la trousse de remèdes qui apporta la vie au monde. Tout ce qui vit sur terre reflète leur beauté et leur puissance.

La Femme Changeante

Parmi les êtres créés, il faut accorder une attention particulière à *Asdzáá nádleehí*, la Femme Changeante. À un moment de la remontée à travers les mondes souterrains, les hommes et les femmes se trouvèrent séparés par une grande rivière, les uns d'un côté, les autres de l'autre. Toute procréation cessa. Alors apparurent les *nayéé'*, monstres maléfiques qui causent la maladie et la misère. Ils éliminèrent presque les Êtres Sacrés. Pour sauver la situation le Premier Homme créa la Femme Changeante : il montra, de sa trousse de remèdes, la montagne appelée aujourd'hui Gobernador Knob, et c'est là qu'elle naquit. Le Premier Homme enseigna ce qu'il savait à la Femme Changeante. Devenue adulte, celle-ci s'unit au Soleil et donna naissance à deux jumeaux, *Nayéé' neezghání* (Tueur de Monstres) et *Tóbájishchíní* (Né pour l'Eau). Ils combattirent les *nayéé'* et les vainquirent, de sorte que les Êtres Sacrés purent vivre dans le monde. Aujourd'hui, les jumeaux aident à guérir les malades en descendant dans les mondes souterrains pour combattre les *nayéé'* qui les affligent.

Finalement, le Premier Homme donna sa trousse de remèdes à la Femme Changeante. Celle-ci l'utilisa, avec la force vitale des vents et celle de *Sa'a naghái* et de *Bik'e hózhó*, pour créer les Navajos, en transformant des morceaux de sa propre peau, du maïs, des pierres colorées, de l'eau ou de la rosée, et de la terre de montagne. Elle utilisa également la trousse et la cérémonie du *hózhóójí* pour créer les moutons et les végétaux dont se nourrissent les Navajos, notamment le maïs. La Femme Changeante continue aujourd'hui d'œuvrer pour le bien des Navajos. Au printemps, elle prend la forme d'une petite fille ; l'hiver, comme la terre, elle se change en une vieille femme stérile.

Les Navajos racontent de façons diverses les récits qu'on vient de rapporter. Ce sont des mythes. Ils servent à rendre compréhensibles les faits essentiels de la vie.

7
LE VENT SACRÉ

Dans le processus de la Création, c'est le vent qui pénètre toutes les réalités du monde, les anime et les mène à une vie plus pleine. Il n'y a qu'un seul vent, *Nilch'í*, qui peut porter différents noms. Les vents reçoivent des noms particuliers selon les lieux, les directions dans lesquelles ils soufflent, leur force, le sens dans lequel ils tournent, ou encore selon leurs effets sur la nature ou sur les hommes. Ce sont toujours des aspects de *Nilch'í*, le vent qui existait au premier moment de la Création.

La force qui multiplie les êtres

Dans l'obscurité du premier monde, le vent donna vie et mouvement aux brumes informes et communiqua la science de cette vie aux Êtres Sacrés. Il était le souffle des brumes lumineuses et il conduisit les nuées à leur place sur les quatre horizons : aube blanche à l'est, ciel bleu au sud, jaune doré du crépuscule à l'ouest, obscurité noire au nord. Des vents appelèrent les Êtres Sacrés et les guidèrent dans leur ascension vers les mondes supérieurs, c'est-à-dire aussi vers la connaissance et la sagesse. Chaque fois que le Premier Homme couvrit de la matière avec des toiles et entonna un chant, le vent entra dans cette matière, la transforma et l'anima. Le vent émergea à la surface de la terre avec les Êtres Sacrés. Il est la force vitale qui multiplie les êtres, les formes, la lumière et les connaissances. Chaque forme créée, grande ou petite, a en elle un souffle de vent capable d'interpeller les hommes et de les instruire. Quand les êtres humains ont été créés, le vent est entré dans leur corps, laissant, comme marque de son passage, les lignes qu'on voit sur la peau des mains, des doigts, des pieds, de la tête. Les dessins caractérisant le pelage ou le plumage des diverses espèces animales sont eux aussi la marque laissée par le vent quand il leur a donné la vie. Chaque fois qu'un être vivant est conçu dans ce panier obscur qu'est le ventre maternel, le vent donne souffle, aide et protection à la nouvelle créature qui va naître.

Le murmure de la conscience

Un petit vent appelé Fils du Vent se tient dans les replis de l'oreille de chaque homme pour lui murmurer la vérité et éveiller sa conscience.

Si le vent apporte la vie, il est aussi celui qui la purifie et la ranime. Dans la cérémonie accomplie pour soigner la jeune fille, au chapitre 1, le vent n'est pas seulement la force qui anime le *hogan*, les figures de sable, le chant et le corps des danseurs : à la fin de la cérémonie, c'est lui qui disperse le sable et évacue ainsi les forces maléfiques, causes de la maladie.

Après une cérémonie, le sable utilisé dans une « peinture de sable » (voir chapitre 1) est confié au vent. Pour les Navajos, le vent est source de vie, de mouvement, d'activité. Il fournit l'énergie nécessaire aux échanges entre les éléments du monde. Il donne l'impulsion vitale aux « formes intérieures » (voir Glossaire) des phénomènes, plantes ou animaux, et il les rend capables de reproduire la vie. Le vent est également voix et moyen de communication. Il est souvent représenté avec des attributs humains, car il est un intermédiaire personnel avec les êtres animés, avec qui il importe d'entretenir des liens. Une fois le sable dispersé, le vent enseigne à l'homme à ne pas oublier le pouvoir des images de sable.

8
LE CIEL PÈRE ET LA TERRE MÈRE

La vie, dans le monde navajo, naît de couples. À chaque instant, des forces opposées se combinent pour engendrer la vie. Les Navajos appellent ce processus universel *alkéé naa'aashii*. Dans le monde souterrain, les brumes colorées des extrémités du monde se sont unies, deux par deux, pour donner naissance au couple originel, le Premier Homme et la Première Femme.

La dualité des êtres vivants

La terre des Navajos est un lieu de perpétuelles transformations qui entretiennent la vie. Ses limites sont marquées par les quatre montagnes sacrées, toujours accouplées : celle de l'est avec celle du sud, celle de l'ouest avec celle du nord. Dans la lumière colorée de chaque horizon vit un couple d'Êtres Sacrés, l'un mâle, l'autre femelle, qui vivifie la montagne correspondante. En chacun des Êtres Sacrés, des vents *nilch'í* s'opposent par couples. Chaque être humain est la combinaison d'un couple de vents, l'un, féminin, qui vient de la mère, l'autre, masculin, qui vient du père.

Parmi toutes ces oppositions, beaucoup se réfèrent à la dualité de la Femme Changeante, jeune et féconde en été, vieille et stérile en hiver. La naissance et la mort se complètent, toutes deux étant indispensables à la vie.

Le modèle de tous les couples

L'opposition principale est celle du Ciel Père et de la Terre Mère. Toute vie, dans le ciel et sur terre, se déroule en eux. Dans les peintures de sable, on représente le Ciel Père portant, sur le corps, le soleil, la lune et les constellations du ciel nocturne ; le mouvement de la Voie lactée est symbolisé sur ses bras. La Terre Mère porte une calebasse à la place du nombril : c'est l'endroit d'où les Êtres Sacrés sont sortis des mondes souterrains. Cette calebasse contient le liquide amniotique laissé par l'inondation. Sur le corps de la Terre Mère poussent les plantes utilisées par les Navajos pour se nourrir et célébrer les cérémonies : le tabac, la courge ou calebasse, les haricots, le maïs.

Le Ciel Père et la Terre Mère sont vivifiés par un jeune couple qui demeure et respire en eux. Ce sont les plus beaux êtres de la création : *Sa'a naghái ashkii* et *Bik'e hózhó at'ééd* (voir chapitre 6). Ils sont les modèles de tous les couples de l'univers. La Femme Changeante, créatrice du premier couple navajo, est souvent considérée comme leur fille.

1. *Monument Valley, avec ses rocs érodés par le vent. La terre des Navajos est façonnée par le vent, signe d'un perpétuel dynamisme, d'un mouvement de transformation sans fin, essentiel dans la pensée religieuse navajo.*

1

9. *Une femme navajo, debout, regarde une exploitation minière à ciel ouvert qui arrive jusque chez elle. L'exploitation minière abusive provoque un choc et un déséquilibre.*

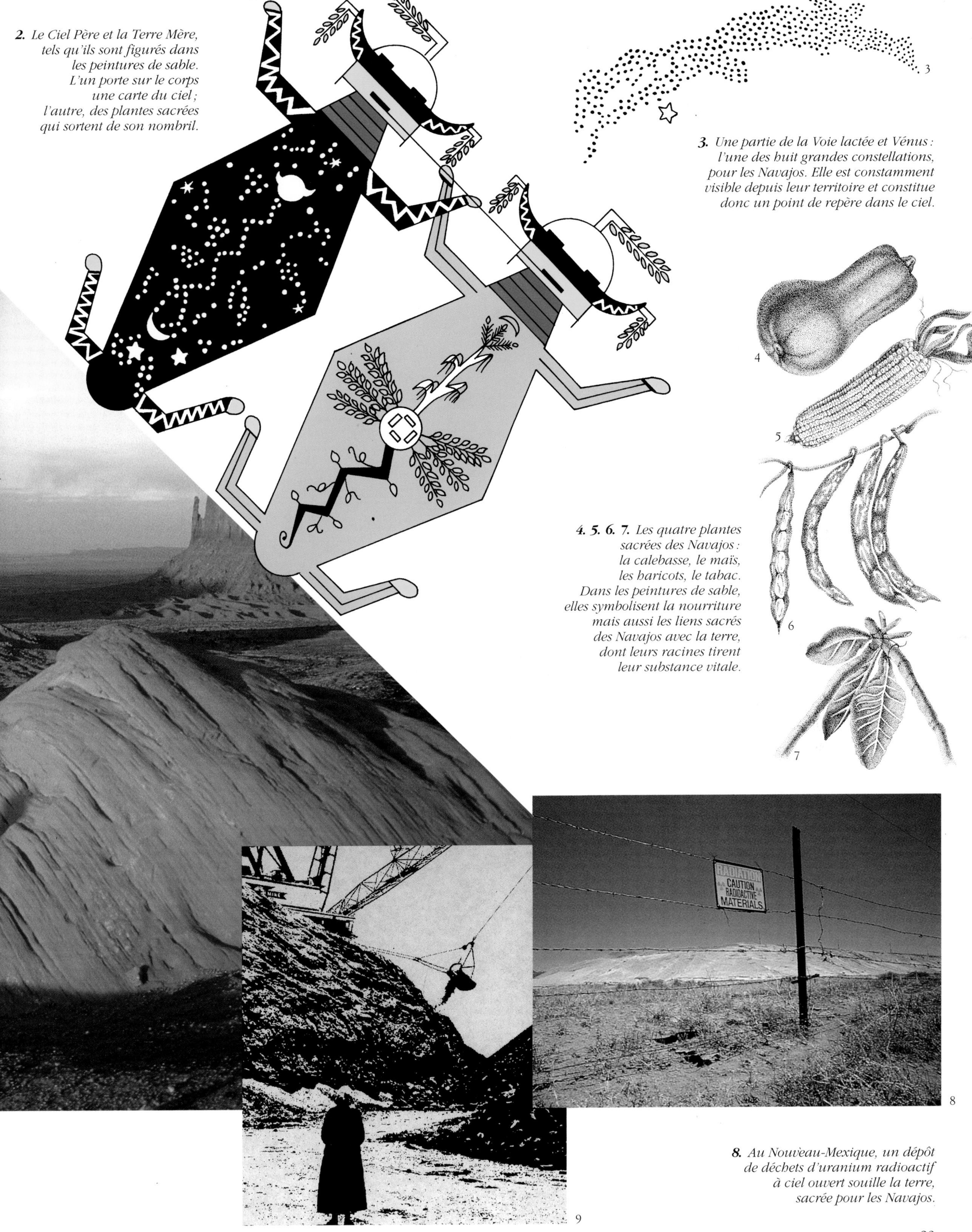

2

__2.__ Le Ciel Père et la Terre Mère, tels qu'ils sont figurés dans les peintures de sable. L'un porte sur le corps une carte du ciel ; l'autre, des plantes sacrées qui sortent de son nombril.

3

__3.__ Une partie de la Voie lactée et Vénus : l'une des huit grandes constellations, pour les Navajos. Elle est constamment visible depuis leur territoire et constitue donc un point de repère dans le ciel.

4

5

6

7

__4. 5. 6. 7.__ Les quatre plantes sacrées des Navajos : la calebasse, le maïs, les haricots, le tabac. Dans les peintures de sable, elles symbolisent la nourriture mais aussi les liens sacrés des Navajos avec la terre, dont leurs racines tirent leur substance vitale.

8

9

__8.__ Au Nouveau-Mexique, un dépôt de déchets d'uranium radioactif à ciel ouvert souille la terre, sacrée pour les Navajos.

9

PLÉNITUDE, HARMONIE, BEAUTÉ : « SA'A NAGHÁI BIK'E HÓZHÓ »

Sa'a naghâi Bik'e hózhó est le but de la vie pour les Navajos. C'est le principal thème de leur pensée religieuse. La phrase se divise en deux moitiés qui se répondent ; elle possède de nombreux sens.

L'harmonie des contraires

Sa'a naghâi peut vouloir dire « marchant, dans son grand âge ». On a l'image d'une longue vie, d'une expérience acquise, d'une destinée accomplie.

Bik'e hózhó peut vouloir dire « son beau parcours », c'est-à-dire le bonheur, la perfection et l'ordre que l'homme peut atteindre dans un environnement idéal.

Prises ensemble, les deux moitiés de la phrase indiquent un trajet que l'on parcourt jusqu'au bout et que l'on recommence, un cycle complet, notamment le cycle de la vie, celui des saisons et de la végétation, et le cycle rituel des cérémonies. Le cycle comprend des moments opposés : pleine maturité, mais aussi retour aux commencements, à la jeunesse, à la fraîcheur de la création. La phrase *Sa'a naghâi Bik'e hózhó* suggère à la fois l'idée d'être et de devenir. Elle exprime la plénitude d'un tout que l'alternance des contraires rend supérieur à la somme de ses parties.

La raison d'être de l'univers

La raison d'être de l'univers est de créer la beauté. Celle-ci résulte des « formes intérieures » du Ciel et de la Terre lorsqu'elles s'unissent pour faire *Sa'a naghâi Bik'e hózhó.* C'est aussi la raison d'être de chaque être, de chaque élément du monde.

Sa'a naghâi Bik'e hózhó est le but de la cérémonie sacrée des Navajos et c'était le but auquel tendaient, par leurs actes, le Premier Homme et les Êtres Sacrés.

Sa'a naghâi Bik'e hózhó se rapporte particulièrement à la trousse de remèdes et à son contenu, ainsi qu'aux forces vitales qui habitent les objets « mis en place » lors du *hózhóójí*, la cérémonie du « chemin de la Bénédiction ».

En plus de ces sens spéciaux, *Sa'a naghâi Bik'e hózhó* est utilisé couramment pour signifier l'état de plénitude, de bonne santé, des êtres vivants.

La construction d'un hogan *moderne. Un Navajo vit en étant conscient de l'origine et du sens des choses. Le* hogan *est un modèle cosmique qui donne son sens à l'espace quotidien. C'est encore plus vrai durant la construction, quand tous collaborent dans une commune fidélité aux origines.*

10
TÉMOIGNAGE

MOUSTACHE GRISE PARLE

Mes enfants, je veux que vous sachiez ma pensée. Je suis très vieux, mes enfants, mes petits-enfants, et ce que j'ai à vous offrir est un bien qui devient rare. Le savoir des vieillards est ce qui permet de voir le monde au lever du soleil. Grâce à ce savoir, on fait son chemin durant la journée, depuis la première lueur aperçue à l'est jusqu'à ce que l'obscurité recouvre le monde. Alors on ne voit plus rien.

Il en va de même quand on ne connaît plus les traditions et qu'on n'a rien pour éclairer son chemin. C'est comme si l'on vivait avec un voile sur les yeux, comme si l'on était sourd et aveugle. Mais quand on connaît les traditions, on a une vue qui porte aussi loin que les Montagnes Noires, et même plus loin jusqu'à l'endroit où la terre rencontre l'océan. C'est comme si on avait une vue aussi bonne que ça. Je souhaite ardemment que vous compreniez ce que possédaient vos ancêtres, et pourquoi certains d'entre nous, les vieillards, nous vivons encore leur vie.

Si seulement vous connaissiez nos paroles et si vous preniez le temps d'y réfléchir, vous verriez qu'elles sont véridiques et de grande valeur. Ces enseignements sont tels que vous souhaiterez un jour les utiliser pour enseigner vos propres enfants. Mais il ne reste pratiquement personne parmi vous pour nous écouter, alors que vous êtes maintenant tellement nombreux. À vous de décider, vous, les quelques-uns qui voudrez apprendre. Vous ne serez jamais seuls. Vous apprendrez une chose après l'autre et les anciens vous aideront. Plus vous apprendrez, plus vous serez capables de relier les choses entre elles et de comprendre.

À vous de décider, vous qui êtes vraiment intéressés à écouter et à tirer le sens de nos paroles. Alors vous serez respectés et recherchés pour vos conseils… Les gens penseront à vous comme à un feu vif, plein d'étincelles.

Il y a encore autre chose. Certains parlent des morts au passé, mais vous qui aurez la connaissance, vous direz : « Untel dit ceci », au présent, même s'il s'agit d'un mort. Car un homme peut mourir, mais la connaissance qui a été transmise est vivante.

Témoignage recueilli par Allen Manning et Frank Harvey, publié dans le livre de John R. Farella, *The Main Stalk. A Synthesis of Navajo Philosophy* (« La Tige principale. Synthèse de la philosophie navajo »), University of Arizona Press, Tucson, 1984 (3e édition, 1993).

Un jeune Navajo à Monument Valley, les yeux fixés sur l'horizon. De ce paysage grandiose se dégage une sagesse, celle de la tradition spirituelle qu'évoquent les paroles de Moustache Grise. Le ciel, les montagnes, les couleurs de la terre, tout appelle le jeune Navajo à cultiver le lien que, par la tradition vivante, il entretient avec sa terre. Comme le disait un éducateur indien : « La religion des Navajos, c'est être navajo ».

PETIT DICTIONNAIRE

Alkéé naa'aashii
Processus par lequel les forces opposées se combinent de façon cyclique dans toutes les réalités, produisant la vie et ses changements. Dans ce processus se réalise l'unité des contraires : la naissance et la mort, la jeunesse et la vieillesse, la croissance et le déclin, la faim et la satiété, l'amour et la haine, la faiblesse et la force, la nuit et le jour, l'hiver et l'été, le travail et le repos, et, en particulier, l'homme et la femme.

Apache
Tribu d'Amérindiens, voisine des Navajos.

Athabaska
Famille de langues à laquelle appartient la langue navajo. D'autres groupes parlant des langues athabaska vivent dans l'ouest du Canada.

Bii'gistíín
Voir *Forme intérieure.*

Bik'e hózhó at'ééd
Voir *Sa'a naghâi ashkii* et *Bik'e hózhó at'ééd.*

Blanca (pic)
L'une des quatre montagnes sacrées. Elle marque l'extrémité orientale du monde navajo. Appelée *Sis Naajíní* en langue navajo.

Chahalhéél
L'obscurité qui se tient sur l'horizon nord. L'une des quatre brumes du premier monde souterrain.

Diyin dine'é
Le Êtres Sacrés, les premiers êtres. Ils vivaient dans les mondes précédant le nôtre, aujourd'hui situés sous terre, et au cours du temps ils sortirent à la surface, créant les choses à mesure de leur parcours souterrain. Le terme de *diyin dine'é* s'applique aussi à des phénomènes naturels comme la pluie, le soleil, le tonnerre et le vent,

Dzil leezh
Littéralement « terre de montagne ». C'est le nom de la trousse de remèdes du Premier Homme, utilisée dans le *hózhóójí.* Elle contient de la terre et des pierres précieuses provenant des montagnes situées aux quatre points cardinaux (les quatre montagnes sacrées). Cette terre représente la chair de la Terre, humectée par la rosée du Ciel. C'est là la source de toute vie. Ce contenu est enveloppé dans une peau de daim non blessé.

Femme Changeante (la)
Personnage mythique qui créa les Navajos et, aujourd'hui, les maintient en vie dans le monde.

Forme intérieure
Essence vivante des choses. Les phénomènes naturels et les êtres humains possèdent des « formes intérieures » animées par le Vent, indépendantes des êtres qu'elles occupent. Les rituels navajos cherchent à faire agir les formes intérieures des Êtres Sacrés. En langue navajo : *Bii'gistíín.*

Hataalii
Chanteur sacré. Le *hataalii* possède une connaissance particulière des cérémonies, qui consistent à chanter les récits concernant les Êtres Sacrés, ainsi que des peintures de sable, des maladies et des moyens de les guérir. Le *hataalii* est ce qu'on appelle un « homme-médecine » ou un chamane, celui qui est en relation avec les esprits.

Hayoolkáál
La lueur blanche de l'aube, qui apparaît à l'horizon de l'est, et l'une des brumes qui habitaient le premier monde.

Hesperus (pic)
Une des quatre montagnes sacrées, marquant le nord du monde navajo. Appelée *Dibé Nitsaa* en langue navajo.

Hogan
De *hoo-*, « lieu », et *-ghan*, « maison ». Maison réservée aux cérémonies. Elle contient en réduction toutes les caractéristiques du monde navajo, y compris les forces qui le régissent. C'est là que se produisent les transformations symboliques qui continuent le processus de la création.

Hózhó
Expression courante pour *Sa'a naghâi Bik'e hózhó.*

Hózhó ntséskees
Penser juste. La pensée est créative : il faut donc cultiver une pensée de grande qualité, de façon à créer pour soi les conditions d'une meilleure vie.

Hózhóójí
« Chemin de la Bénédiction ». Cérémonie qui continue le processus de la création par lequel le Premier Homme a transformé les choses, leur donnant vie et destination, et les a mises en place sur la scène du monde.

'Iikááh
Peinture de sable (voir chapitre 1). Les peintures de sable sont un lieu de passage par où les puissances sacrées entrent et sortent, et par où l'on peut pénétrer dans les mondes souterrains.

Nahagha
Cérémonie.

Nahinii'na
Retour à la vie. Le terme peut se rapporter, par exemple, aux malades que l'on guérit par une cérémonie.

Náhodetl'izh
Couleur bleue associée à l'horizon du midi, et l'une des brumes du premier monde.

Náhotsoi
Couleur jaune associée à l'horizon de l'ouest et au crépuscule du soir, et l'une des brumes du premier monde.

Nayéé
Esprit maléfique ou autre phénomène négatif qui empêche de vivre la vie dans sa plénitude. Les *nayéé* sont responsables des maladies, de la faiblesse, de la pauvreté, de la peur, de la tristesse.

Niilyáii
« Choses mises en place ». Les choses créées et mises à leur juste place par le Premier Homme et les Êtres Sacrés.

Nílch'í
Vent sacré. La force qui anime toute vie.

Nílch'í biyázhí
Fils du Vent, « enfant vent ». C'est un petit vent qui, murmurant à l'oreille des Êtres Sacrés, les aide à connaître le futur ou à entendre à de grandes distances.

Premier Homme, Première Femme
Personnages mythiques qui ont guidé les Êtres Sacrés dans leur voyage à travers les mondes souterrains. Le Premier Homme a dirigé les transformations créatrices et la mise en place des choses créées.

Pueblos
Tribu amérindienne voisine des Navajos.

Sa'a naghái ashkii et Bik'e hózhó at'ééd
Couple de jeunes gens mythiques, la plus belle création du Premier Homme. Ils représentent la force vitale qui anime le Ciel et la Terre.

Sa'a naghái Bik'e hózhó
Harmonie totale, qui est le but de la vie. L'expression peut avoir de nombreux sens (voir chapitre 9).

San Francisco (pics)
Chaîne de montagnes sacrées. Elle marque l'extrémité occidentale du monde navajo. Appelée *Dook'o'oosłííd* en langue navajo.

Taylor (mont)
L'une des quatre montagnes sacrées. Elle marque l'extrémité sud du monde navajo. Appelée *Tsoodzil* en langue navajo.

Trousse de remèdes
Sachet contenant des objets puissants exposés lors des cérémonies. C'est dans sa trousse de remèdes que le Premier Homme apporta les substances provenant du monde souterrain et les transforma pour en créer de nouvelles quand il les disposa au cours des cérémonies qu'il accomplissait. La Femme Changeante reprit au Premier Homme l'usage de la trousse de remèdes, et elle s'en sert pour le bien des êtres humains.

RÉFÉRENCES ICONOGRAPHIQUES

Les nombres en gras renvoient aux pages ;
les nombres entre parenthèses, aux illustrations.

ALBERTO CONTRI, Milan : **4**, **5**. EDITORIALE JACA BOOK, Milan (Giorgio Bacchin) : **20-21** ; (Fausto Bianchi) : **8-9**, **10-11**, **24-25** ; (Stefano Delli Veneri) : **14-15** (1, 4) ; (Ermanno Leso) : **6, 7**, 12-13, 18 (2) ; (Antonio Maffeis) : **17** (3) ; (Giulia Re) : **17** (2), **18** (1) ; (Cristina Tralli) : **23** (2, 3, 4, 5, 6, 7). GRANATA PRESS, MILAN / WESTLIGHT (Chuck O'Rear) : **16** (1). RODNEY HOOK : **19** (4). U. BÄR VERLAG, ZÜRICH (Helga Teiwes) : **14** (2), **15** (3). SILVIA VASSENA, Monza : **19** (3), **22-23** (1), **26-27**.

L'illustration **23** (8) est reprise du livre de Peter H. Eichstaedt, *If You Poison Us. Uranium and Native Americans,* Red Crane Books, Santa Fe, Nouveau-Mexique, 1994.
L'illustration **23** (9) est reprise du livre de Bruce Johansen et Roberto Maestas, *Wasi'chu. The Continuing Indian Wars,* Monthly Review Press, New York et Londres, 1979, p. 141 (photographie par Bruce Johansen).

Les illustrations **12-13** (1), **14** (1), **17** (2), **23** (2), **23** (3) ont été redessinées d'après le livre de Trudy Griffin-Pierce, *Earth Is My Mother, Sky Is My Father. Space. Time and Astronomy in Navajo Sandpaintings,* University of New Mexico Press, Albuquerque, 1992, respectivement : fig. 1.1, fig. 4.13, fig. 4.1, fig. 5.3, fig. 4.8.